terra magica

BERLIN

AVANT-PROPOS DE WILLY BRANDT · BOURGMESTRE DE BERLIN OUEST
INTRODUCTION DE SYBILLE SCHALL
PHOTOS DE LISELOTTE ET ARMIN ORGEL-KÖHNE, TONI SCHNEIDERS E.A.

HANNS REICH VERLAG · MUNICH

Editeur de la collection de livres illustrés TERRA MAGICA: Hanns Reich. Sixième tirage 1966. © 1959
Hanns Reich Verlag, München. Tous droits réservés, y compris ceux de la multiplication photomécanique,
la réproduction par extraits, ainsi que la diffusion par radio et télévision. Autotypie: Schwitter AG, Basel;
Meisenbach, Riffarth & Co. AG, Berlin; impression: W. F. Mayr, Miesbach/Obb. Printed in Germany.

AVANT-PROPOS

Chaque photographie de ce livre est davantage qu'une simple illustration, car chacune d'elles est un document précieux concernant l'histoire d'après-guerre de Berlin, la capitale de l'Allemagne.

Ceux qui connaissent bien cette ville n'auront aucune peine à dater les photographies de ce livre. Aucune autre ville d'Europe, en effet, n'a autant que celle-ci dû modifier sa physionomie en raison des faits politiques.

Depuis le 13 août 1961, la division de Berlin saute aux yeux d'un chacun par l'érection du mur communiste de la honte. Aussi inhumains que soient les effets de cette accumulation de pierres de béton, ils n'ont pu briser la volonté de vivre de la partie demeurée libre de la ville. La vie de chaque jour y continue. Nombre de constructions nouvelles y ont été élevées depuis les jours les plus sombres de l'histoire de Berlin. Qu'il me suffise d'évoquer le nouvel opéra d'État ou la reconstruction de l'église commémorative de l'empereur Guillaume, ou bien encore les 250.000 habitations construites depuis la fin des hostilités. Les constructions nouvelles surgies à Berlin sont toutes d'une ligne moderne. Elles sont d'une architecture des plus hardies qui suscite autant d'enthousiastes admirateurs que de farouches détracteurs. Berlin est avant tout une ville vivante et elle est aussi la ville industrielle la plus importante qu'il y ait entre Paris et Moscou.

Je souhaite que pour tous ceux qui comptent Berlin parmi les vraies « richesses du monde » ce livre puisse être le point de départ d'une méditation – ne serait-ce que durant une heure – sur les problèmes qui nous préoccupent si profondément, ici à Berlin.

Willy Brandt

BERLIN

Est-il possible de traduire en quelques mots tout ce que cette ville peut recéler d'unique? Essayons-le afin d'essayer de vous faire sentir que Berlin peut non seulement récompenser d'un voyage, mais peut même être une récompense pour la vie – une vie entière pour Berlin! Vous pourrez vous en rendre compte dès votre arrivée dans la ville. Si vous prenez le train, dès votre descente sur le quai vous vous trouverez en plein au milieu de sa vie stimulante. Si vous prenez l'avion, dites-nous où ailleurs au monde, à la descente de l'échelle de coupée, vous vous sentirez plus vite hapé par la vie trépidante d'une capitale? Si vous venez en auto, vous roulerez tout d'abord à du 120 à l'heure sur l'auto-strade qui y mène et dont la dernière partie, l'Avus, est à l'heure présente encore la plus rapide piste automobile en terrain plat d'Europe; quelques minutes plus tard vous vous trouverez sur un des plus beaux boulevards qui soient: le Kurfürstendamm!

Surpris par la nuit tombée, aveuglé par les lumières, vous en oubliez d'allumer vos phares. Et si vous entendez quelqu'un vous dire «Hé mon bonhomme, n'auriez-vous pas une allumette pour éclairer vos quinquets?», dites-vous alors que vous êtes vraiment à Berlin. Respirez profondément afin d'aspirer à pleins poumons cet air qui purifie tout, ce cher et bon air de Berlin! Il est climatique, spirituel et fascinant comme s'il était le plus subtil arôme de Berlin. Il est conditionné par la situation géographique de la ville: il est vraiment à point par la sècheresse des sables de la lande environnante, la Märkische Heide, qui tempère l'humidité qui lui vient de la Baltique toute proche, et puis vous avez la rude senteur qui lui vient des montagnes de l'Allemagne centrale, et cela vous fait un cocktail d'air mousseux particulièrement tonique pour les malades, qui augmente la joie de vivre des bienportants et qui stimule la fameuse ardeur au travail que l'on reconnaît aux Berlinois. C'est le propre de cette ville d'accueillir tout ce qui est étranger avec la plus grande et la plus cordiale hospitalité, afin d'en retirer le plus grand profit . . . avant de s'en lasser.

Cette particularité un peu hybride de Berlin a fait que bien des grands de ce monde ont voulu se mesurer avec la ville que d'aucuns se plaisent à appeler la parvenue parmi les vieux centres culturels. En fait, ce fut toujours Berlin qui l'emporta. Ce qui compte c'est la persistante atmosphère spirituelle de la ville dont le fluide ne peut échapper au visiteur le plus éphémère. Quant à celui qui s'est laissé imprégner tout entier par cet air qui a choisi Berlin comme son lieu de séjour et de prédilection – qu'il y soit arrivé de Toronto ou de Vienne, de Dresde ou de Prague – il deviendra indubitablement et très vite un Berlinois, un vrai Berlinois.

Si vous voulez connaître vraiment la ville, il faut en pénétrer les pulsations actuelles et non pas chercher à en découvrir les antiques traditions, car Berlin est jeune et ne se nourrit guère de son passé! De vieilles, belles et riches églises n'en rehaussent pas, comme en d'autres villes, le visage urbain. Et dites vous aussi que la froideur d'un Berlin, qui est protestant depuis le XVIIe siècle, ne se prête guère à l'extase. C'est une grande famille turbulente, peu sentimentale, mais pleine d'humour et aux visages innombrables dont chacun est d'une étonnante diversité. Cela n'empêche qu'au-délà de tant de divergences il y a une parfaite harmonie entre un taudis berlinois et une somptueuse villa de Grunewald, entre la ligne du métro et le lopin de terre de banlieue que le Berlinois appelle son « Schardäng-Jarten », et le titi berlinois en son langage savoureux se plaira à répéter « Je me trouvons si beau, je pourrions bien m'embrasser ».

Si le Berlinois semble avoir moins d'esprit et de charme que de cœur et de tenue, c'est que son humour si particulier, dans un dialecte assez curieux, est souvent mal compris. Son patois particulièrement drôle est un mélange de bas- et de haut-allemand à la syntaxe un peu boiteuse, mais aux images souvent cocasses. Toutes les consonnes s'y trouvent à peu près élidées, et s'il vous dit des choses qui vous semblent quelque peu grossières, dites vous bien qu'il n'a pas voulu vous blesser, mais tout simplement voulu être drôle à sa manière. Ne vous offusquez donc pas de vous entendre dire par exemple: « Du calme, du calme, mon p'tit bonhomme, si tu n'veux pas que j'te glisse dans ma tartine et t'bouffe tout cru », ou encore: « Quoi donc, mon pote, t'es pas un peu dérangé du cerveau par hasard? » Et toujours et partout il est en pleine forme, fidèle à sa réputation de véritable Berlinois, né sur le Kurfürstendamm!

★

Il a été prouvé que la région de Berlin était déjà peuplée environ 8000 ans a. J. C. et d'intéressantes trouvailles nous renseignent sur ces habitants d'autrefois. Vers le 7éme siècle de notre ère, lors de la migration des peuples, quelques slaves apparurent dans cette région et s'installèrent au milieu de forêts, de marais et d'étangs, sur une des rares collines de sable se trouvant sur la rive sud de la Sprée. Dans leur langue, colline signifiait « Kollen ». A force de travail et de persévérance, les rives marécageuses furent asséchées. Petit à petit se développa le trafic fluvial, tout d'abord un bac, puis des bateaux firent la navette – les commerçants des environs découvrirent l'importance de cette « Kollen » ... Koellen ... Koelln! En face de cette colline, sur la rive nord de la Sprée plusieurs autres petites collines formaient une sorte de digue (Damm). Plus tard, cet endroit devint le « Molkenmarkt » de Berlin. De nouveaux habitants s'installèrent et avec eux se développa un trafic commercial important et un va-et-vient incessant commença alors – oui, le Berlinois était né!

Le nom de Berlin se trouve mentionné dans des pièces d'archives datées de 1244. Berlin était devenu le lieu de rendez-vous de l'aristocratie, du clergé et du commerce. Sagesse et perspicacité donnèrent à Berlin et à Coelin, en 1307, l'idée d'une alliance défensive; plus tard ces deux villes s'allièrent à la Hanse et formèrent de plus en plus un ensemble indépendant. En 1415, Frédéric de Hohenzollern, burgrave de Nuremberg, reçut de l'empereur Sigismund le titre de prince électeur du Brandebourg, pour la somme de 400,000 florins d'or, mais Coelin et Berlin n'acceptèrent pas d'aliéner leur indépendance au nouveau seigneur. Frédéric I s'installa sur les rives de la Sprée, mais renonça à toutes querelles avec l'ensemble rebelle que formait Berlin-Coelin. En 1432, ces deux villes se fondirent en une seule – Berlin – supportant les droits et obligations qu'une telle décision comporte. La maison Hohenzollern eut une influence considérable sur l'histoire agitée de cette ville, elle détermina son histoire durant presque cinq siècles. Mais dix ans plus tard déjà, Frédéric II sépara Berlin à nouveau. Berlin et Coelin redevinrent deux villes indépendantes; sur la rive sud de la Sprée, Frédéric II se fit construire un petit château.

Le prince électeur Joachim Ier y fonda un tribunal dont le sens de la justice était considéré comme exemplaire. Son fils Joachim II y construisit, à la place du château médiéval, un nouveau palais en style Renaissance. Sa favorite Anna Sydow, fille d'un fondeur de Spandau, y construisit de son côté, avec l'argent de quelques riches commerçants berlinois, le merveilleux pavillon de chasse de « Zum grunen Wald » (en la verte forêt). Survint alors une terrible crise économique à laquelle succédèrent trois grandes épidémies de peste et toute la séquelle des misères de la guerre de Trente ans.

Grâce au Grand Électeur et mécène Frédéric-Guillaume, le Brandebourg devint un nouvel État dont toutes les grandes puissances européennes allaient devoir tenir compte. C'est lui qui établit les fondements du futur royaume de Prusse-Brandebourg. D'une signification particulière pour l'expansion intellectuelle et économique de Berlin fut l'émigration huguenote qui la dota d'un riche apport d'esprit et d'habilité artisanale français. En fondant la Bibliotèque prince-électorale en 1662, Frédéric-Guillaume établit les bases de la célèbre Bibliotèque Royale de l'Etat; il appela des architectes hollandais comme Memhard et Nehring qui modelèrent le nouveau visage de Berlin. C'est ainsi que surgirent « die Linden » (les tilleuls), « Dorotheenstadt » le parc appelé sous le régne de Frédéric I, roi de Prusse, « ville-Frédéric » et la partie centrale de l'actuel palais de Charlottenburg, où la spirituelle Sophie Charlotte donna ses fêtes célèbres et où elle eut également ses savants entretiens avec Leibnitz. La puissante personnalité du Grand-Electeur a été fixée dans une des plus belles sculptures baroques allemandes, dans la statue équestre d'André Schlüter. Le fils de Frédéric-Guillaume, Frédéric I lui succéda. Ce dominateur porta un sérieux coup au prestige et à l'équilibre de son royaume. Au lendemain de ses folles prodigalités, de goût du bien-être des Berlinois dut s'accomoder à l'austérité du sévère Guillaume I, qui lui succéda. Le Roi Sergent fut loin d'être un ami et un protecteur des sciences et des arts. Par contre il sut organiser son État avec efficience et parcimonie. Pour les agrandissements de sa Résidence il sut prendre l'argent là où il se trouvait en appliquant la méthode de « l'homme est riche, il construira ». C'est ainsi qu'il encouragea bon gré mal gré l'industrie du bâtiment, mais Berlin lui doit ainsi son premier hôpital, celui de « la Charité ». Lui même vivait en Spartiate. Il encouragea le goût de l'épargne et fut le père de l'esprit bureaucratique prussien dont on s'est tant gaussé. Sa manière de recruter les jeunes junkers et de prélever des impôts pour l'entretien de son armée, de même que ses méthodes sévères pour l'entraîner se trouvent à l'origine de la future puissance militaire de la Prusse. Les fruits de cette semence, souvent répandue non sans quelque intolérance, formèrent la moisson récoltée par son fils Frédéric II qui, lui, était tout imprégné d'urbanité et d'esprit français. Ce sont les chances de la guerre, souvent héroïquement acquises, conjuguées avec la haute personnalité intellectuelle de Frédéric le Grand qui firent de Berlin une des grandes capitales de l'Europe. La réorganisation de l'Academie des Sciences de son père, la construction de la cathédrale Sainte-Edwige – la première église catholique de la ville – et la fondation d'une manufacture de porcelaine témoignent de l'esprit d'initiative et de tolérance ainsi que de la largesse de vues de ce souverain. Des architectes aussi habiles que von Knobellsdorff, von Gontard et Frédéric Boumann jr. donnèrent alors à Berlin sa physionomie de grande cité.

10

Frédéric-Guillaume II, le successeur de Frédéric le Grand, ne fut guère apprécié par les Berlinois. Ce qui n'empêche qu'ils doivent au faible « Gros Guillaume » l'édifice le plus célèbre de la ville, la Brandenburger Tor ou Porte de Brandebourg.

Frédéric-Guillaume III, aux admirables vertus bourgeoises, en a imposé aux Berlinois réfléchis par la sérénité d'esprit avec laquelle il supporta toutes les misères et avanies qui touchèrent son règne et sa vie personelle: l'entrée de Napoléon à Berlin, la défaite de la Prusse en 1806, le décès de la reine Louise. Dans le Berlin, demeuré jusque là un peu à l'écart d'une vie intellectuelle active, s'affirma alors une très grande émulation spirituelle avec des hommes de la taille d'un Humboldt, d'un Kleist, d'un Arnim, d'un Fichte, d'un Hufeland, d'un Schiller et d'un Scharnhorst. Grâce à une intense vague de patriotisme canalisée avec une grande sagacité tant politique que militaire, c'est surtout de Berlin que partit l'offensive qui chassa finalement, en 1813, les Français du pays. C'est également sous le règne de Frédéric-Guillaume III que s'épanouit en Allemagne ce style néo-classique bourgeois, connu sous le nom de Biedermeier, qui donna à Berlin un nouveau visage et dont les plus éminents représentants s'appellent Karl-Friederich Schinkel, Schadow, Rauch, Gilly, Tieck et Lenné.

La grande réputation de Berlin sur le plan philosophique, avec Hegel, Schopenhauer, Ranke s'étendit bientôt au pays tout entier. A Frédéric-Guillaume III, succéda son fils Frédéric-Guillaume IV, homme sans instincts, se croyant élu roi par la volonté de Dieu. Il lessaya en vain de régner pendant 17 ans, puis il devint fou. Son frère, régent depuis 1857 ui succéda sous le nom de Guillaume I, roi de Prusse. Le principal mérite de ce noble, monarque fut de reconnaître la réelle et grande valeur de son entourage et de s'en servir au mieux de ses intérêts. C'est ainsi qu'il dut à la diplomatie de Bismarck d'être couronné à Versailles, le 18 janvier 1871, comme empereur d'Allemagne. La ville de Berlin, devenue capitale de l'empire allemand, se transforma bien vite en une cité tentaculaire de plusieurs millions d'habitants, qui allait de plus en plus occuper une place éminente dans l'actualité mondiale et dont l'apogée se situe en 1914. Malgré une guerre perdue qui dura quatre ans, Berlin ne perdit pas sa vitalité. En 1920, une loi de la diète de Prusse fit de Berlin et de sa banlieue (27 domaines ruraux, 59 communes rurales et 8 villes) une seule et unique cité de 3,858,000 habitants. Mais malgré un travail important (construction de la tour-radio, de l'aéroport de Tempelhof, de l'usine électrique Klingenberg, du centre téléphonique pour communications interurbaines directes) et malgré une intensité profonde de la vie intellectuelle et artistique de ces célèbres années vingt, une détresse sans cesse croissante à laquelle s'ajouta la plaie du chomage fut un terrain fertile à l'éclosion du « Reich millénaire ». A l'appel de Hitler, les S. A. firent, le 30 janvier 1933, un gigantesque cortège aux flambeaux en direction de la Chancellerie du Reich, dont l'impressionnante mer de flammes fut comme la préfiguration symbolique du grand cataclysme vers lequel un régime particulièrement diabolique allait conduire non seulement la capitale, mais le pays tout entier. Puis ce fut la miraculeuse renaissance et un nouvel épanouissement de la ville. Au monde étonné qui se demandait « comment est-ce donc possible? », les Berlinois répondirent d'une manière entendue « Nous autres Berlinois sommes toujours sur la brèche » et ils se seraient sentis offensés si l'on avait osé les traiter de fanfarons. Goethe tenait déjà le Berlinois pour un être téméraire et il faut en effet être un audacieux pour transformer en quelques années une ville en ruines et comme rayée de la carte du monde en un centre des plus actifs qui soient.

★

Lorsqu' au 2 mai 1945 on accorda quelque répit à cette grande métropole de plus de quatre millions d'habitants bombardée durant plusieurs années, elle n'était plus qu'un amoncellement de ruines à peine encore habité par quelque trois millions de personnes. Un Berlinois sur trois y avait perdu son home et les ruines immenses de la ville représentaient un cinquième de l'ensemble des ruines accumulées en Allemagne. Berlin fut conquis par les troupes russes et occupé ensuite conjointement par les quatre vainqueurs. La ville devint le siège du Conseil de Contrôle allié et ses vingt quartiers furent divisés en quatre secteurs. Elle fut la proie de la faim et de la maladie, du banditisme et du marché noir. La nuit on abattait les beaux arbres du Tiergarten et l'on échangeait de l'amour vénal contre des pommes de terre. Pendant le jour on organisait, on travaillait et on se remettait à espérer. Tandis que des fillettes malingres se faisaient des berceaux de poupées des débris calcinés de la ville, les femmes se mirent à déblayer les ruines de leurs pauvres mains écorchées.

A présent, avec ses quelque trois millions 300,000 habitants, Berlin est la plus grande ville d'Allemagne. Deux millions 200,000 de ceux-ci vivent sur 480 km² à Berlin Ouest et un million 100,000 sur 410 km² à Berlin Est. Les 150 km de frontière séparant la ville en plusieurs zones sont bordés de barrages, barrières et remparts et cela donne à la ville une triste et lamentable originalité. De la collaboration entre architectes allemands et étrangers y a surgi en peu d'années sur les ruines du quartier de la Hanse, un des plus prodigieux exemples d'architecture et d'urbanisme modernes.

12

Depuis 1950, on a construit rien que dans Berlin Ouest, environ 250,000 appartements. Peut-être pouvons-nous voir un symbole de paix dans les parcs où les enfants peuvent jouer, parcs surgis des décombres . . . « Berliner Berge », « Insulaner », « Monte clamotte », « Marienhöhe » et bien d'autres encore.

En 1945 des rues entières de même que de nombreux ponts étaient impraticables et les lignes des tramways, des trains urbains et du métro étaient soufflées.

A peine trois mois plus tard les transports en commun enregistraient déjà quotidiennement un million 600,000 voyageurs et en 1948 ce chiffre attaignait plus de quatre millions. L'ensemble du réseau comporte plus de 13,000 km de rails. Le moyen de locomotion le plus rapide est le métro avec un réseau de quelque 200 km. Les travaux du réseau de 100 km d'autoroutes urbaines commencèrent au printemps 1956. Il est prévu 40 km d'autoroutes extérieures sans croisements, et 60 km formant un ensemble de quatre autoroutes conduisant au centre de la ville. En 1958, la première partie de cette autoroute urbaine, première d'allemagne, était terminée et depuis lors, de nouveaux morceaux ont été succésivement ouverts à la circulation.

70 lignes d'omnibus totalisent un réseau de 1,150 km; les quelques lignes de tramways disparaitront totalement lorsque le plan de reconstruction de Berlin sera terminé.

Ce qui subsistait encore d'intact du potentiel industriel berlinois fut démonté au lendemain de la capitulation. Le commerce et toute la vie économique de la ville avaient cessé d'exister ou en étaient réduits à l'inaction.

A l'heure présente plus d'un million de personnes sont occupées dans plus de 100,000 firmes de Berlin Ouest et avec ses quelque 300,000 ouvriers industriels la ville est aujourd'hui la plus grande cité industrielle d'Allemagne.

En 1945 Berlin n'avait plus ni gaz, ni electricité. Il n'y avait plus de téléphone, plus de poste, plus de journaux.

Les nouvelles installations d'eau et d'electricité de Berlin Ouest sont actuellement parmi les plus modernes du monde et dans les 138 bureaux de poste de la ville se manipulent annuellement 404 millions de cartes postales et de lettres venant de la République Fédérale et environ 15 millions de colis. 10 journaux paraissent quotidiennement à Berlin Ouest.

En juin 1945 il n'y avait plus d'écoles ni d'universités et il n'y avait plus de bibliothèques ni de musées.

A l'heure présente Berlin Ouest compte plus de 350 écoles et l'université libre enseigne à nouveau dans l'esprit libéral de Humboldt en de nouveaux locaux sis dans le paysage idyllique de Dahlem et érigés avec l'aide d'un don de plusieurs millions de la Fondation Ford. L'École supérieure de Musique passe actuellement pour la plus importante d'Allemagne; des artistes de grand renom travaillent comme professeurs ou moniteurs à l'École supérieure des Beaux-Arts; les vastes locaux de l'Université technique, célèbre héritière de la « Königliche Bauakademie » fondée en 1799 par le roi Frédéric-Guillaume III, grouillent de la vie intense de plusieurs milliers d'étudiants tant allemands qu'étrangers. Il y a des écoles spéciales pour l'art artisanal, pour l'industrie du livre et pour le dessin; plus de 300 bibliotèques se trouvent à la disposition des Berlinois; les plus importantes parmi celles-ci sont la Bibliothèque ibéro – américaine et la Bibliothèque commémorative américaine, chacune avec quelque 250,000 volumes, et plus tard la « Preussische Staatsbibliothek » ouvrira de nouveau ses portes; ses livres et ouvrages se trouvent encore à Marburg et à Tubingue. Un bâtiment moderne près du Zoo est réservé à cette bibliothèques Le grand renom mondial de Berlin comme ville-musée a malheureusement subi let contrecoups de pertes irréparables. En 1962 il fut possible grâce à la fondation de l'institution prussienne de culture, de bâtir de nouveaux locaux et de rassembler les ouvrages dispersés. Le centre des musées se trouvera au sud du Zoo. Le visiteur qui pourra y consacrer quelques heures trouvera par ailleurs nombre de richesses artistiques au pavillon de chasse de Grunewald, au petit château de Tegel, au musée de Préhistoire et d'Histoire ancienne ou au musée Georg Kolbe. A la bibliothèque d'art des anciens musées de l'État il trouvera une ample moisson en valeurs culturelles et spirituelles dont l'abondance fera oublier qu'il ne s'agit là guère plus que d'une infime partie de ses richesses perdues.

Durant l'hiver 1945–46 le Berlinois, avait le ventre creux et, tremblant de froid, applaudissait le jeu d'acteurs qui jouaient sur des tréteaux de fortune; c'est dans une cave, assis sur des caisses qu'il réen-

14

tendait du Beethoven; de son cher Opéra il ne pouvait plus contempler que les ruines et c'est par boutade qu'il payait d'un bouton de culotte sa premiére entrée dans un cabaret de nuit; enfin, c'est devant un amas de décombres qu'il se contenait de rêver des délices que lui débitait jadis son cher « bistrot du coin ».

Avec ses 80 théâtres, Berlin était au cours du siècle dernier la ville la plus riche du pays en salles de spectacle, et c'est vers les années vingt de notre siècle que la capitale de l'Allemagne connut son apogée en matière d'art théâtral. Il y avait là une déjà très vieille tradition née des triomphes d'un Iffland et d'un Devrient, d'un Mattkowsky, d'un Kainz et d'un Sorma. Otto Brahm fut ensuite le continuateur de cette tradition en attendant un Max Reinhardt et un Karl-Heinz Martin, un Jessner, un Piscator et un Heinz Hilpert.

Aujourd'hui Berlin est de nouveau la ville du théâtre par excellence – 3 théâtres nationaux, l'opéra, dont la splendide ouverture a eu lieu en 1961, les théâtres « Schiller » et « Schloss-park », 14 théâtres privés, dont le nouveau « Freie Volksbühne ». Les concerts donnés dans la nouvelle salle à l'architecture osée du « Neue Philharmonie », dans la salle du « Zirkus Karajan » des Berlinois et dans le « garage à musique », l'annexe vitrée de l'Ecole supérieure de Musique, sont d'autre part des prestations artistiques et mondaines de la plus haute valeur.

Tout en étant largement ouverte au grand art, la ville s'enorgueillit également d'être la ville d'Allemagne la plus riche en salles de cinéma. C'est avec passion que le public y assiste chaque année au « Festival International du Cinéma » auquel participent plus de 40 nations. Le Berlinois sait aussi rire aux éclats ou sourire malicieusement devant les traits d'humour de ses artistes de cabaret – il se distrait en allant voir un musical ou en assistant aux Six-Jours, il s'amuse à la fête de la bière et au stade olympique, il s'enorgueillit de ses grandes expositions, de la « Deutschlandhalle » contenant 16,000 places, de son théâtre de verdure, le plus vaste du monde, de sa salle de congrès très représentative qu'il nomme « coquille d'huître » (Austernschale). Le Berlinois visite l'académie des arts, il visite également le Zoo et son aquarium superbe, il regarde d'un air penseur le « schaschlik », intéressante construction en fer devant l'opéra, mais il est quelque peu troublé devant la « boite à œufs » (Eierkiste) de la nouvelle église construite à la mémoire de l'empereur Guillaume – il est fier de sa tour-radio qu'il apelle « langer Lulatsch », mais la plate-forme ne semble lui être accésible qu'accompagné par un touriste visitant Berlin! Et toujours et partout dans le cœur de chaque Berlinois, est un amour passionné pour sa ville, cette ville dont il parle avec une joie enfantine. Il aime à raconter qu'il n'existe aucune autre ville au monde aussi intimement liée avec les forêts et le ciel, l'eau et le soleil, aucune autre ville au monde avec tant de fleurs et d'arbres que Berlin! Le Berlinois n'a pas besoin de se souvenir car il n'oublie pas. Mais en 1948, alors que l'Allemagne de l'Ouest revenait déjà à la prospérité, ce fut pour Berlin la grande épreuve à double face: le blocus et la division de la ville. Toutes les routes de terre et d'eau étaient barrées; Berlin n'était plus qu'une île! Pendant que Munich allait au spectacle, Berlin travaillait à la chandelle; pendant que l'on donnait des « parties » à Hambourg, Berlin se couchait tôt car qui dort dîne . . . Mais voici que s'organisa alors la plus grande œuvre de solidarité humaine de tous les temps: le pont aérien entre l'Ouest et Berlin. Avec une précision et une régularité impeccables, des « bombardiers à raisins de Corinthe » atterrirent jour et nuit sur l'aérodrome de Berlin Ouest et ravitaillèrent ainsi la ville enfermée. Il y eut 277,728 vols avec plus de deux millions 100,000 tonnes de marchandises. Le Berlinois fut ainsi condamné à l'attente, chose qui ne convenait guère a son tempérament, aussi lorsque le blocus cessa le 12 mai 1949 ce fut un débordement de forces trop longtemps contenues. Berlin, né il y a plus de six siècles de la fusion de deux petites cités jumelles, formait un ensemble fort et intouchable – mais maintenant on ne peut plus effacer la plaie qui fait souffrir Berlin, cette plaie qui divise la ville en deux parties et qui, depuis le mois d'août 1961 s'envenime sans cesse.

Sybille Schall

Les légendes des illustrations se trouvent sur les volets du dépliant en fin de volume

2

5

14

53

54

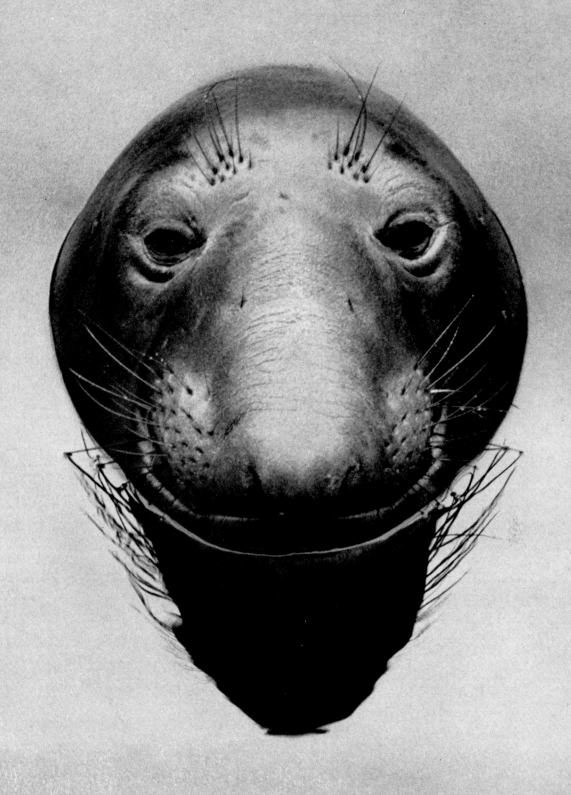

92

93